科学漫画 いきもの観察シリーズ

ドクターエッグ
いきもの入門 ⑨
マッコウクジラ・
ダイオウイカ・
深海クラゲ

かがくるBOOK

目次

第1章 深海の独特ないきものたち

- 第1話 サノのサプライズプレゼント・・・・・・・8
- 第2話 回復室のアカボウクジラ・・・・・・・20
  - いきもの探しゲーム 海の中のいきものの正体は？　30
- 第3話 個性満点！ 深海いきものコンテスト・・・・・・・32
- 第4話 チョウチンアンコウとの出合い・・・・・・・42
  - コラム 深海生物のサバイバル術　45
  - 生き生き観察レポート 深海のいきものを観察　52
- 第5話 ダイオウイカとマッコウクジラの対決・・・・・・・54
- 第6話 ポセイドンの危機・・・・・・・64
  - 生き生き図鑑 マッコウクジラとダイオウイカの写し描き　70

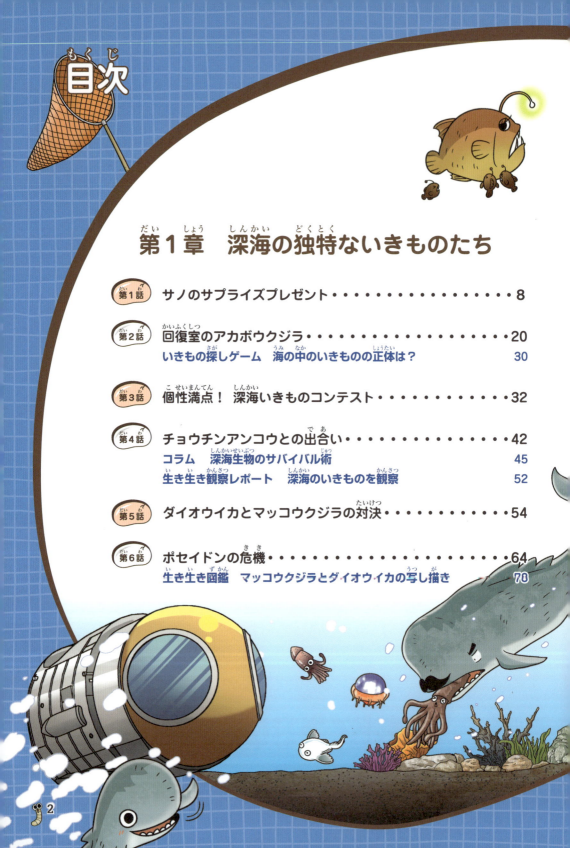

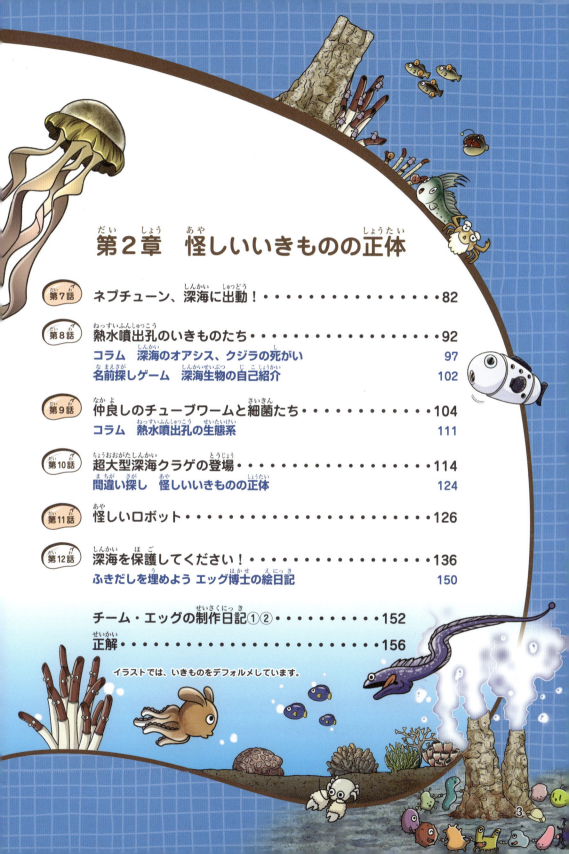

第2章 怪しいいきものの正体

- 第7話 ネプチューン、深海に出動！　　　　　　　　82
- 第8話 熱水噴出孔のいきものたち　　　　　　　　　92
  - コラム　深海のオアシス、クジラの死がい　　　97
  - 名前探しゲーム　深海生物の自己紹介　　　　102
- 第9話 仲良しのチューブワームと細菌たち　　　　104
  - コラム　熱水噴出孔の生態系　　　　　　　　111
- 第10話 超大型深海クラゲの登場　　　　　　　　　114
  - 間違い探し　怪しいいきものの正体　　　　　124
- 第11話 怪しいロボット　　　　　　　　　　　　　126
- 第12話 深海を保護してください！　　　　　　　　136
  - ふきだしを埋めよう　エッグ博士の絵日記　　150

- チーム・エッグの制作日記①②　　　　　　　　　152
- 正解　　　　　　　　　　　　　　　　　　　　　156

イラストでは、いきものをデフォルメしています。

ヤン博士

危機対処能力 ★★★★★

- 誕生日　1月1日（やぎ座）
- 血液型　AB型
- 今回のミッション
  ① 深海生物の撮影
  ② チョウチンアンコウの観察
  ③ 魚型ロボット「ネプチューン」を脱出させる

「このいきものは何だろう？」

ウン博士

判断力 ★★★★★

- 誕生日　2月17日（みずがめ座）
- 血液型　A型
- 今回のミッション
  ① 海洋ゴミの掃除　② 採掘ロボットの正体を調べる
  ③ 深海の熱水噴出孔のいきものを観察

「深海には独特ないきものが多いね。」

第1章

深海の独特ないきものたち

アカボウクジラに問題が起きた原因を調べるため、深海探査を始めた博士たち！
深海にはどんないきものが生息しているのか、一緒に見てみましょう！

第1話
サノのサプライズプレゼント

*ワン・サノは、『ドクターエッグ2』に登場した水族館のアクアリスト（水族館や熱帯魚ショップなどで働く人）。

チョロンの深海レポート

深海とは？ 水深が200m以上の深い海のこと。

深海の区分

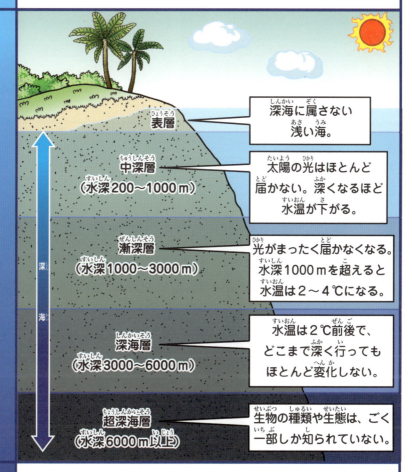

- 表層 — 深海に属さない浅い海。
- 中深層（水深200〜1000m） — 太陽の光はほとんど届かない。深くなるほど水温が下がる。
- 漸深層（水深1000〜3000m） — 光がまったく届かなくなる。水深1000mを超えると水温は2〜4℃になる。
- 深海層（水深3000〜6000m） — 水温は2℃前後で、どこまで深く行ってもほとんど変化しない。
- 超深海層（水深6000m以上） — 生物の種類や生態は、ごく一部しか知られていない。

深海の特徴 海の平均の深さは約3700mで、海の90％以上を深海が占める。深海には太陽の光がほとんど届かず、水温も低い。

本格的に深海の研究が始まったのは、1930年代に深海潜水球が開発されてからだよ。こうして神秘的な深海のいきものが発見されるようになったんだ！

文字通り未知の世界だね！

第2話
回復室のアカボウクジラ

まあ……。クジラの状態がよくなさそう。

＊希少種のアカボウクジラみたいだけど……、どうしてここにいるの？

深海に生息するアカボウクジラは、息をするために水面に上がったときにしか観察できないの。

＊数が少なくめったに見られない生物。

＊チョロンのおじいちゃん（師匠）も『ドクターエッグ２』に登場しているよ！

海の中のいきものの正体は？

1. ジュウモンジダコ
2. イワシの群れ

©NOAA Okeanos Explorer　　©iStock

第3話
個性満点！深海いきものコンテスト

退屈！ママとパパはいつまで寝てるのかな……。

☆集中探求☆
「マッコウクジラ」は海の中で垂直に体を立てて眠ります。このようにして眠るときは、半分くらい起きている状態と考えられています。

あとで息を吸いに水面に上がるのも忘れるんじゃないぞ！

遠くに行っちゃダメだよ！

は〜い！

僕が好きなイカ発見！

マッコウクジラだ！

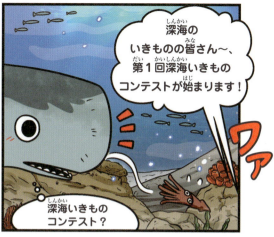

＊ブロブフィッシュは、日本ではニュウトウカジカとも呼ばれています。

☆集中探求☆
「プランクトン」は海などにいる微生物で、大きく2つに分かれます。その一つ植物プランクトンは光合成によって栄養となる*有機物をつくり出します。もう一つの動物プランクトンは植物プランクトンを食べて栄養を得ます。

*有機物：生物の体をつくる材料になるもの。

深海生物のサバイバル術

深海生物は日光がほとんど届かない深海で生き残るために、さまざまな戦略を持っています。深海のいきものたちの特別なサバイバル術を見てみましょう。

発光能力

ホタルのように生物が自ら光を放つことを「生物発光」といいます。深海生物の多くは、えさを探したり、相手をおどしたりするなど、さまざまな理由で生物発光を行います。光が出る物質をふき出したりもします。

クシクラゲ

深海生物は自分を保護するいろいろな能力を持ってるんだ〜！

敵に目立たない体の色

光が届かない深海では、赤くて暗い色が目立ちません。そのため、深海生物の中には赤色や黒色を帯びたものが多いようです。さらには体が透明なものもいます。

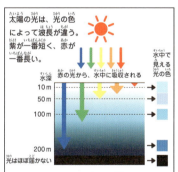

深海に生息するキンキ（キチジ）

大きな目

多くの深海魚は大きな目を持っています。鏡のように光を反射する大きな目で、光がほとんどない海の中でも物を見たり、色を感知することができます。

大きな目を持つキンメダイ

君も目が大きいんだね？

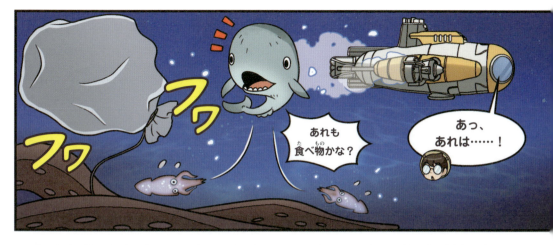

生き生き観察レポート

深海のいきものを観察

エッグ博士と一緒に観察レポートを自由に書いてみよう。

チョウチンアンコウ

©PIXTA

わかったこと：
＿＿＿＿＿＿＿＿＿＿＿＿＿＿＿
＿＿＿＿＿＿＿＿＿＿＿＿＿＿＿
＿＿＿＿＿＿＿＿＿＿＿＿＿＿＿

気になったこと：
＿＿＿＿＿＿＿＿＿＿＿＿＿＿＿
＿＿＿＿＿＿＿＿＿＿＿＿＿＿＿
＿＿＿＿＿＿＿＿＿＿＿＿＿＿＿

クシクラゲ

©iStock

わかったこと：
＿＿＿＿＿＿＿＿＿＿＿＿＿＿＿
＿＿＿＿＿＿＿＿＿＿＿＿＿＿＿
＿＿＿＿＿＿＿＿＿＿＿＿＿＿＿

気になったこと：
＿＿＿＿＿＿＿＿＿＿＿＿＿＿＿
＿＿＿＿＿＿＿＿＿＿＿＿＿＿＿
＿＿＿＿＿＿＿＿＿＿＿＿＿＿＿

ブロブフィッシュ

©Shutterstock

わかったこと：
_____
_____
_____

気になったこと：
_____
_____

マッコウクジラ

©Shutterstock

わかったこと：
_____
_____
_____

気になったこと：
_____
_____

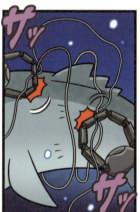
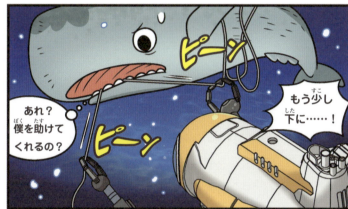

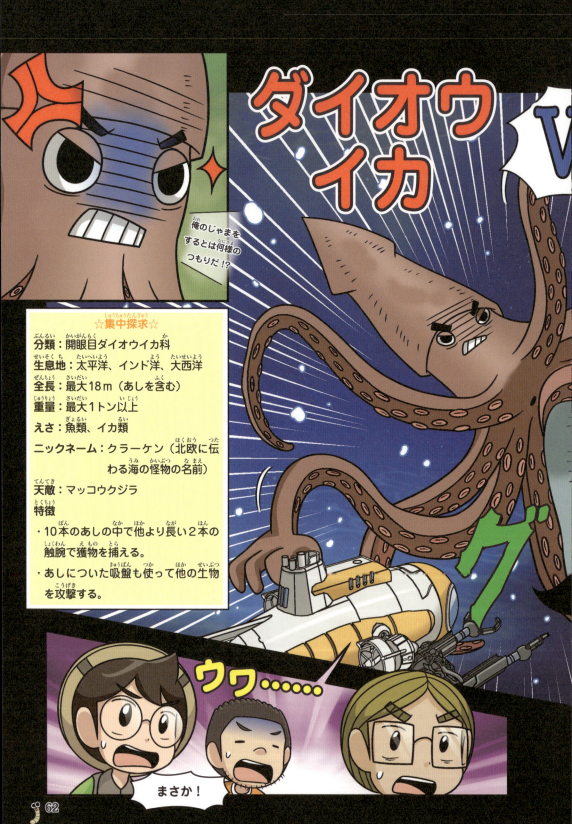

目が回る……。

どうなってるの？

イカのあしに なぐられたのは おぼえてる けど……。

あっ？
あれは何？

マッコウクジラとダイオウイカの写し描き

マッコウクジラ

スペースにマッコウクジラと
ダイオウイカをまねて描いて、
好きな色を塗ってみよう！

ダイオウイカ

第2章

怪しいいきものの正体

ポセイドン号が故障し、別の方法で深海探検に乗り出した博士たち！
深海のいきものについてより深く学びましょう。

第7話
ネプチューン、深海に出動！

深海のオアシス、クジラの死がい

クジラの死がいは、えさが豊富ではない深海で大事な役割を担います。深海の生物が長く食べられる貴重な食料になっています。

> クジラの死がいは飢えた深海生物たちのおなかを満たしてくれるんだ。

クジラの死がい

©NOAA

深海のクジラの死がいはいきもののえさになるだけでなく、生物の研究にとっても重要です。クジラの死がいの周りに群がる生物の種類や特徴を観察できるからです。

クジラの死がいの分解

第1段階
ヌタウナギ、深海ザメなどがクジラの死がいの皮膚や肉をかじって食べます。

第2段階
クジラの死がいの残った肉や脂肪を小魚やカニ、エビなどが食べます。

第3段階
残った骨などを微生物が分解し、貝やウミウシなどがこの過程でできた栄養を利用します。

深海の熱水噴出孔に生息するいきもの

熱水噴出孔とは何でしょうか？

深海には地球内部のマグマによって温められた海水がふき出す「熱水噴出孔」があります。熱水噴出孔から出るお湯（熱水）は最高で400℃に達することもあります。驚くべきことは、熱水噴出孔の周辺にも生物がすんでいるということです。細菌が熱い水中の成分を食べて有機物をつくり出し、この細菌を食べる多様な生物が生態系を形成しています。

熱水がふき出ている熱水噴出孔

名前探しゲーム

深海生物の自己紹介

ユノハナガニ

私は目が退化していて、生まれた場所の近くで一生暮らすよ。熱水噴出孔の近くでも、熱水はすぐ冷えるから、私がゆだることはないんだ。

チューブワーム

私たちは胃や腸のような消化管がない代わりに、体の中にすんでいる細菌を通じて必要な栄養分を得るんだ。

キワ・ヒルスタ

私は、南太平洋のイースター島から約1500km南の深海で初めて発見されたんだ。あしをおおった毛のせいで「イエティクラブ（雪男ガニ）」とも呼ばれるんだ。

熱水噴出孔の周りに生息するいきものたちが自己紹介をしています。
いきものの紹介と写真が合うようにつないでみましょう。

ウロコフネタマガイ
私たちの体には、硫化鉄という金属のうろこがついている。よろいのようでしょう？ 深海の熱水噴出孔から出る鉄を利用してうろこをつくるんだよ。

ポンペイワーム
僕はゴカイの一種だよ。熱水の近くの熱いところでも生きていけるんだ。毛深い背中にすむ細菌が高熱に耐える体にしているのではないかと考えられているよ。

ソコガンギエイ
私たちソコガンギエイのグループは、深海にすむものが多いよ。熱水噴出孔の近くに卵を産んで、温かい水温で卵をかえりやすくしている仲間もいるよ。

正解：156ページ

第9話
仲良しの
チューブワームと
細菌たち

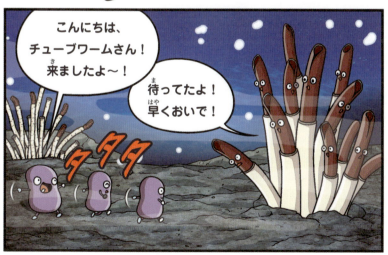

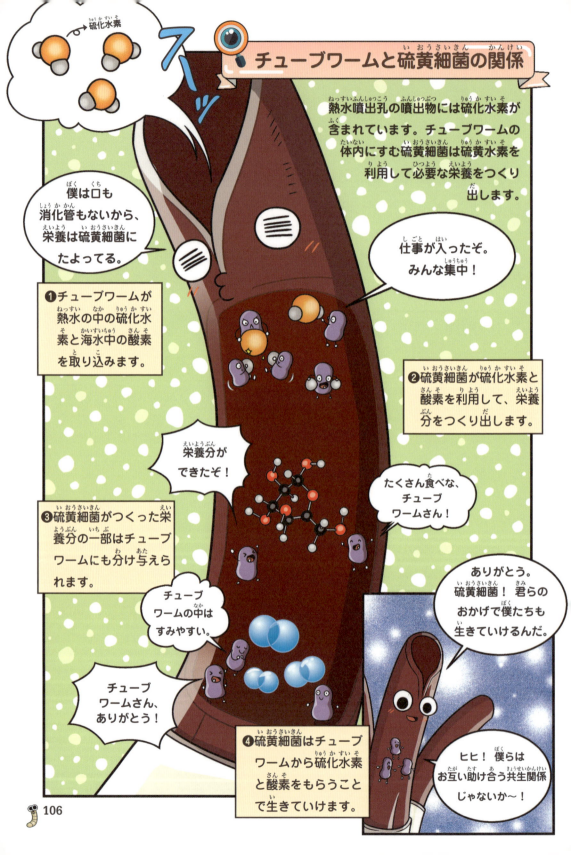

☆集中探求☆
「チューブワーム」など、一部の深海生物は深海で生き残るために、細菌などの微生物と「共生」しています。「共生」とは、種が異なる生物が互いに利益を得られるような関わり方をして、同じところで一緒に暮らす関係をいいます。

熱水噴出孔の生態系

熱水噴出孔については今も研究中だよ。

深海の熱水噴出孔からふき出す水の温度は、最高で400℃になることもあります。熱水噴出孔の周りには高温の環境に適応した細菌や生物が生息しています。

細菌と共生する生物たち

シンカイヒバリイガイと栄養をつくり出す細菌

イガイという貝の仲間を知っていますか？食べるとおいしいムール貝（ムラサキイガイ）は、この仲間です。深海の熱水噴出孔の近くにすむイガイの仲間であるシンカイヒバリイガイは、えらの細胞の中に硫化水素やメタンを利用して栄養をつくり出す細菌をすまわせています。シンカイヒバリイガイは、この細菌から栄養をもらって生きています。

深海の熱水噴出孔の近くにすむイガイの仲間。

ムール貝と呼ばれるムラサキイガイ。

チューブワームと硫黄細菌

チューブワームは口と消化管がない代わりに、体内にある硫黄細菌がつくり出す栄養分をとります。

チューブワーム

©NOAA Okeanos Explorer Program, Galápagos Rift Expedition 2011

超大型深海クラゲの登場

ツー……

ツー……

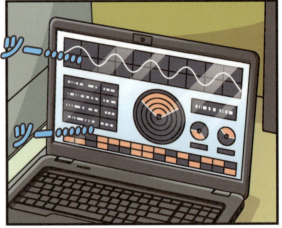

どこに行くんだろう？

ずっと下りてる。

怪しいいきものの正体

エッグ博士が言っていたいきものの正体が明かされようとしています！
2つの絵を見比べて、違うところを10個見つけてみましょう！

正解：157ページ

第11話
怪しいロボット

どう？ 初めて見るいきものでしょ？

オオ……

あれ？

スッ
スッ
スーッ

何、1、2匹じゃないぞ？

それにあれはいきものじゃなくてロボットだ！

ギーン
ギーン
ギーン

深海の多様な鉱物資源

深海の鉱物は、電気自動車やスマートフォンのバッテリーなどの他、さまざまな産業分野で原料として使われる貴重な資源を含んでいます。

海底熱水鉱床
金属を含む熱水が熱水噴出孔からふき出し、冷たい海水とぶつかってできる鉱物などのかたまり（鉱床）です。

©Koelle

マンガン団塊
海水に溶け込んでいる金属成分が固まってできた物質です。主に深い海底で発見されます。

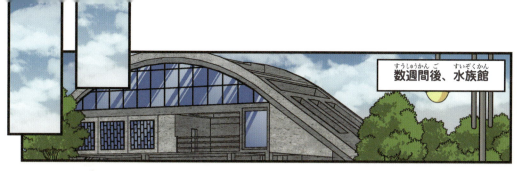

☆集中探求☆

「龍涎香」はマッコウクジラの腸の中で、消化されていないものが集まって便として排泄されたものです。独特の香りなので香水を作る材料として使われます。1グラム当たり数千円から1万円以上で取引されるほど高い価値があります。

エッグ博士の絵日記

水族館を訪問した日

サノから連絡を受けて久しぶりに水族館に行った。未知の世界館で会ったチョロンとの出会いはあまりにも強烈だった。

チョロンがサノの彼女だという事実に1回目のショックを、タコ師匠の孫娘だという事実に2回目のショックを受けた。その一方、深海を研究する姿は本当に素敵だと思った。

エッグ博士が書いた絵日記を見て、空っぽのふきだしに合うセリフを自由に書いてみましょう。

採掘ロボットの危険性を伝えた日

深海探査の途中、採掘ロボットが深海生物を攻撃するのを見てびっくりした僕たちは、採掘ロボットをつくった企業を訪ねて深海の状況を伝えることにした。

僕たちは直接企業関係者に会い、ネプチューンに保存されている映像を見せた。関係者は、状況の深刻さに気づき、採掘ロボットをすべて回収することを約束した。

解答の例：157ページ

チーム・エッグの制作日記①

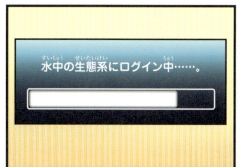

チーム・エッグの制作日記②

クイズの答えを確認する番だよ。正解を確認してみてね。

30〜31ページ

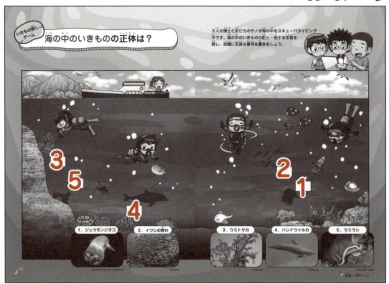

102〜103ページ

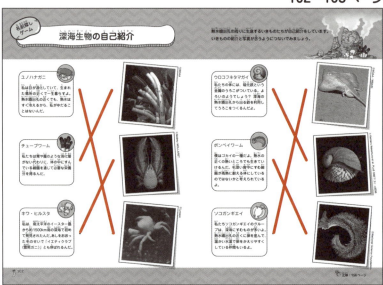

124～125ページ

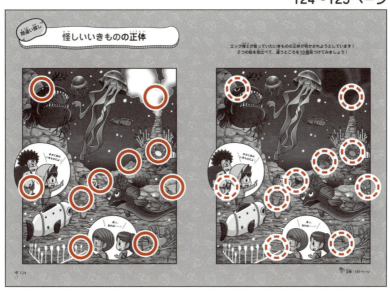

※解答の例　150～151ページ

에그 박사 10

Text Copyright © 2023 by Mirae N Co., Ltd. (I-seum)

Illustrations Copyright © 2023 by Hong Jong-Hyun

Contents Copyright © 2023 by The Egg

Japanese translation Copyright © 2024 Asahi Shimbun Publications Inc.

All rights reserved.

Original Korean edition was published by Mirae N Co., Ltd.(I-seum)

Japanese translation rights was arranged with Mirae N Co., Ltd.(I-seum)
through VELDUP CO.,LTD.

ドクターエッグ9　マッコウクジラ・ダイオウイカ・深海クラゲ

2024年7月30日　第1刷発行

著　者　文　パク・ソンイ／絵　洪鐘賢(ホンジョンヒョン)
発行者　片桐圭子
発行所　朝日新聞出版
　　　　〒104-8011
　　　　東京都中央区築地5-3-2
　　　編集　生活・文化編集部
　　　電話　03-5541-8833(編集)
　　　　　　03-5540-7793(販売)

印刷所　株式会社リーブルテック
ISBN978-4-02-332341-4
定価はカバーに表示してあります

落丁・乱丁の場合は弊社業務部(03-5540-7800)へ
ご連絡ください。送料弊社負担にてお取り替えいたします。

Translation：Han Heungcheol / Kim Haekyong
Japanese Edition Producer：Satoshi Ikeda
Special Thanks：Kim Suzy / Lee Ah-Ram
　　　　　　　　(Mirae N Co.,Ltd.)

サバイバルシリーズ ファンクラブ通信

おたより大募集

ゆうびんもメールもドシドシ！

ファンクラブ通信は、サバイバルの公式サイトでも読めるよ！

みんなからのお手紙、楽しみにしてるよ～♪

読者のみんなとの交流の場「ファンクラブ通信」は、クイズに答えたり、投稿コーナーに応募したりと盛りだくさん。「ファンクラブ通信」は、サバイバルシリーズ、対決シリーズ、ドクターエッグシリーズの新刊に、はさんであるよ。書店で本を買ったときに、探してみてね！

おたよりコーナー 1

ジオ編集長からの挑戦状

『◯◯のサバイバル』を作ろう！

みんなが読んでみたい、サバイバルのテーマとその内容を教えてね。もしかしたら、次回作に採用されるかも!?

例：冷蔵庫のサバイバル
何かが原因で、ジオたちが小さくなってしまい、知らぬ間に冷蔵庫の中に入れられてしまう。無事に出られるのか!?（9歳・女子）

おたよりコーナー 2

キミのイチオシは、どの本!?

サバイバル、応援メッセージ

キミが好きなサバイバル1冊と、その理由を教えてね。みんなからのアツ～い応援メッセージ、待ってるよ～！

例：鳥のサバイバル
ジオとピピの関係性が、コミカルですごく好きです!! サバイバルシリーズは、鳥や人体など、いろいろな知識がついてすごくうれしいです。（10歳・男子）

おたよりコーナー 3

ケイ館長のサバイバル美術館

みんなが描いた似顔絵を、ケイが選んで美術館で紹介するよ。

例：上手い！

© Han Hyun-Dong/Mirae N

みんなからのおたより、大募集！

① コーナー名とその内容
② 郵便番号
③ 住所
④ 名前
⑤ 学年と年齢
⑥ 電話番号
⑦ 掲載時のペンネーム（本名でも可）

を書いて、右記の宛先に送ってね。
掲載された人には、サバイバル特製オリジナルグッズをプレゼント！

●郵送の場合
〒104-8011 朝日新聞出版 生活・文化編集部
サバイバルシリーズ ファンクラブ通信係

●メールの場合
junior@asahi.com

件名に「サバイバルシリーズ ファンクラブ通信」と書いてね。

※応募作品はお返ししません。
※お便りの内容は一部、編集部で改稿している場合がございます。

ファンクラブ通信は、サバイバルの公式サイトでも見ることができるよ。

科学漫画サバイバル 検索

― 好評発売中 ―

科学漫画 いきもの観察 シリーズ

ドクターエッグ

ヤン博士
勇敢でたくましく、心優しい行動派。「チーム・エッグ」では主に撮影を担当。

エッグ博士
明るくユニークで、子どもたちに大人気。「チーム・エッグ」として仲間のウン博士、ヤン博士とともに、いきものの魅力を伝えるコンテンツを日々制作している。

ウン博士
いきものについての知識が豊富な知性派。「チーム・エッグ」のブレーン的存在。

理科の基礎を楽しく学べる！ 生物世界への入門書

「いきもの大好き！」なエッグ博士、ヤン博士、ウン博士の３人が、いきものの魅力と生態をやさしく、楽しく伝えるよ！

ドクターエッグ①
ハチ・クワガタムシ・カブトムシ 152ページ

ドクターエッグ②
サメ・エイ・タコ・イカ・クラゲ 156ページ

ドクターエッグ③
カエル・サンショウウオ・ヒル・ミミズ 152ページ

ドクターエッグ④
ゲジ・ムカデ・クモ・サソリ 152ページ

ドクターエッグ⑤
カマキリ・ナナフシ・アリジゴク・トンボ 160ページ

Ⓒ The Egg, Hong Jong-Hyun/Mirae N

ドクターエッグ⑥
トカゲ・ヘビ・カメ・ワニ 160ページ

ドクターエッグ⑦
オウム・ミミズク・クロハゲワシ 156ページ

ドクターエッグ⑧
アリ・チョウ・ガ・ゴキブリ 156ページ

ドクターエッグ⑨
マッコウクジラ・ダイオウイカ・深海クラゲ 158ページ

各 **1320円**（税込み）
B5変判

朝日新聞出版